O ANEL MÁGICO DA TIA TARSILA

O ANEL MÁGICO DA TIA TARSILA

tarsila
do amaral

Grafia atualizada segundo o Acordo Ortográfico da Língua Portuguesa de 1990, que entrou em vigor no Brasil em 2009.

FOTÓGRAFO
Romulo Fialdini

CAPA
warraklоureiro/ Alice Viggiani

PROJETO GRÁFICO
warrakloureiro

PREPARAÇÃO
Márcia Copola

REVISÃO
Viviane T. Mendes
Adriana Moreira Pedro

COMPOSIÇÃO
Alice Viggiani

Dados Internacionais de Catalogação na Publicação (CIP)
(Câmara Brasileira do Livro, SP, Brasil)

Amaral, Tarsila do
O anel mágico da tia Tarsila/ Tarsila do Amaral. — São Paulo : Companhia das Letrinhas, 2011.

ISBN 978-85-7406-484-0

1. Amaral, Tarsila do, 1886-1973 2. Literatura infantojuvenil I. Título.

11-03875 CDD-028.5

Índices para catálogo sistemático:
1. Literatura infantil 028.5
2. Literatura infantojuvenil 028.5

9ª reimpressão

EDITORA SCHWARCZ S.A.
Rua Bandeira Paulista, 702, cj. 32
04532-002 — São Paulo — SP — Brasil
(11) 3707-3500
www.companhiadasletrinhas.com.br
www.blogdaletrinhas.com.br
/companhiadasletrinhas
@companhiadasletrinhas
/CanalLetrinhaZ

Esta obra foi composta em Akzidenz Grotesk e impressa em ofsete pela Lis Gráfica sobre papel Couché Design Matte da Suzano S.A. para a Editora Schwarcz em maio de 2023

Eu tinha uns oito anos quando usei pela primeira vez o anel que ganhei da tia Tarsila, uma pintora muito famosa. Eu tenho o mesmo nome dela e me orgulho disso. Naquela noite eu estava no meu quarto, na casa onde vivia com meus pais. O anel era grande, com uma armação bem antiga, e tinha um brilhante no centro, rodeado de vários brilhantinhos. Serviu direitinho no meu dedo. Minha tia usou o anel desde os dezoito anos e só o tirou antes de morrer, quando pediu à sua enfermeira que o desse para mim. Dizem que foi presente de aniversário do pai dela, a quem chamavam de doutor Juca.

Senti algo diferente quando, de repente, o brilho do anel ficou mais intenso. Fechei os olhos e me vi com tia Tarsila, que devia ter uns sete ou oito anos na época, na fazenda dela. Eu estava lá, participando de tudo, mas ela não me via.

"Tarsila, volta para casa, está tarde!", chamava com sua voz grossa a babá, uma mulher negra alta e forte. Os negros escravizados foram libertados logo depois que tia Tarsila nasceu, mas muitos continuaram trabalhando nas fazendas do pai dela como pessoas livres. Quando a menina voltou para casa, as babás deram banho nela e em seus irmãos, serviram o jantar e contaram histórias: "Era uma vez um bicho grande que assustava as criancinhas...". Tia Tarsila ficava muito impressionada. A babá era boazinha, mas contava cada história...

Tia Tarsila nasceu no dia 1º de setembro de 1886, numa fazenda que ficava no interior do estado de São Paulo. Seu pai e seu avô possuíam muitas terras.

Ali, o amanhecer era saboroso. Café, leite de vaca tirado na hora, pão, manteiga, queijo, geleias,

FAZENDA SERTÃO

tudo feito lá. Dona Lydia, mãe da tia Tarsila, ia estudar piano, doutor Juca saía para visitar as plantações, e a menina e seus irmãos — Osvaldo, Cecília, Luís, Milton e José — tinham aula com a professora Marie, que veio da Bélgica e ensinava tudo em francês. Tia Tarsila brincava bastante com o Milton, apesar de ser bem mais velha que ele.

Depois da aula, muita liberdade. Eu segui tia Tarsila e gostei de todas as brincadeiras que ela fazia. Ela adorava subir nas árvores, catar maracujá, fazer bonecas de mato, andar a cavalo e brincar com seus cachorros e seus quarenta gatos.

A gatinha branca, que se chamava Falena, vinha correndo, pulava no colo de tia Tarsila e começava a miar. Então os outros gatos se aproximavam e também ficavam miando. Eles sempre a seguiam, e, quando ela brincava de esconde-esconde com os irmãos, era fácil achá-la: onde estavam os bichanos estava tia Tarsila. Mas ela não se importava. Em algumas noites frias, deixava a Falena dormir em seu quarto, sem que os pais e a babá soubessem.

Um dia, quando ainda era pequena, a gatinha foi passear e se perdeu. Tia Tarsila passou dois dias procurando nas casas dos empregados, no rio, no bosque, e nada da gatinha. A menina chorou muito, até que uma das empregadas disse que ouviu um miado perto de sua casa. Então tia Tarsila foi correndo até lá, andou por toda a volta da casa e acabou encontrando a gatinha, que, quando viu a dona, também chorou. Elas eram muito apegadas.

TARSILA COM SEUS IRMÃOS OSVALDO E CECÍLIA

Eu acompanhei tia Tarsila num de seus passeios preferidos, que era ir até a fazenda dos tios encontrar as primas. A viagem para a cidade de Mombuca era longa, eles iam de trole puxado a cavalo e no caminho viam até onças pelas matas.

Chegando lá, ela foi com as primas chupar jabuticaba no bosque e nadar no riacho, enquanto sua mãe ficou tocando piano para seus tios. Nesse dia, tia Tarsila dormiu na fazenda e sentiu muito medo, porque o casarão tinha fama de mal-assombrado. Deitada, ouviu alguns passos, ouviu vozes, ouviu o piano e o sino tocarem... e se agarrou nas primas.

De manhã o medo passou e todos foram brincar. Mas tia Tarsila ia dormir de novo ali. À noite, os adultos e as crianças estavam conversando na sala, em volta do lampião, e jogando cartas, quando ouviram um barulhão na cozinha. As crianças se assustaram. O tio de tia Tarsila disse para ficarem calmas, pois ele achava que era o paneleiro que tinha caído. Depois de algum tempo foram até a cozinha e não tinha nada fora do lugar. O que será que causou aquele barulho?

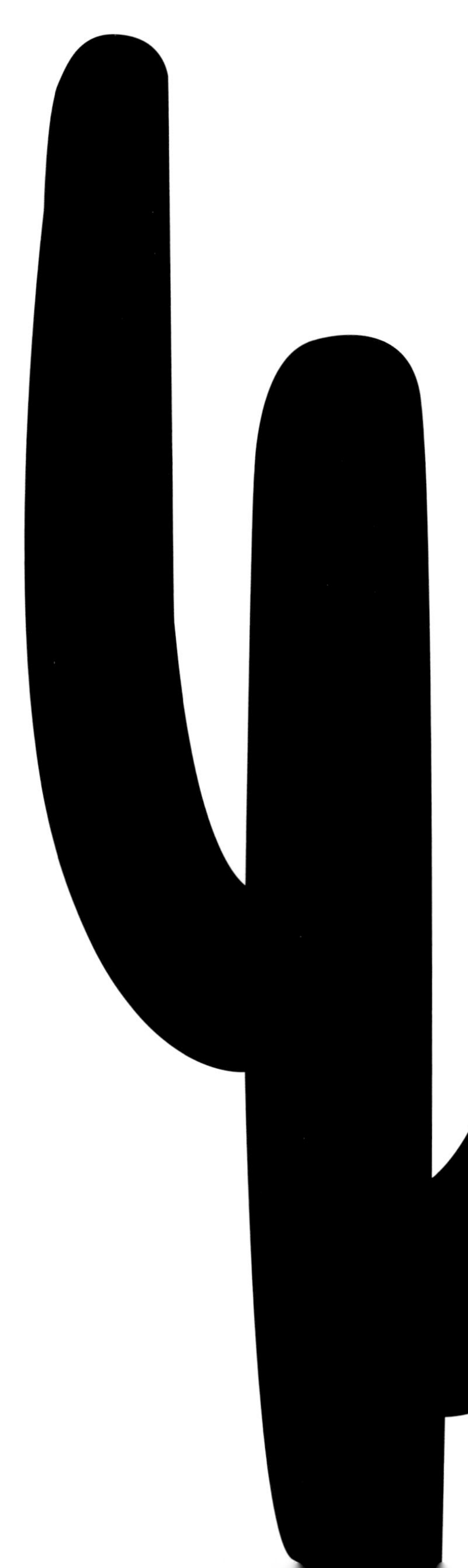

O

No dia seguinte voltamos para a fazenda no trole e pudemos ver de novo aquele mar de cana-de-açúcar e sentir aquele cheiro adocicado.

À noite, serviu-se um belo jantar, com o doutor Juca sentado à cabeceira da mesa. Ele apreciava vinhos franceses; aliás, naquela época muitos produtos vinham da França: a água, a sopa de legumes, a fita métrica, a tesoura, os tecidos, os laços de fita e também a caixinha de música que tia Tarsila adorava. Era uma caixa de vidro com dançarinos dentro; dava-se corda, eles giravam, e tocava uma música. Os olhos gulosos de tia Tarsila espiavam a manobra através do vidro, e ela ouvia a música do compositor francês Bizet. Tia Tarsila amava música. Gostava de ouvir sua mãe tocar piano, e também aprendeu a tocar.

Numa das aulas da professora Marie, vi tia Tarsila fazer seu primeiro desenho: uma galinha com seus pintinhos.

Na manhã seguinte, quando abri os olhos, eu estava de volta ao meu quarto. Aquele anel era mesmo mágico! Fui correndo contar para a minha mãe, e ela disse que tinha sido apenas um sonho. Minha irmã também não acreditou, mas mesmo assim pedi que ela pusesse o anel no dedo e fechasse os olhos. O brilho do anel não mudou, e ela disse que não sentiu nada. A mágica só acontecia comigo!

Na outra noite pus o anel novamente. Ele se iluminou, e eu estava em Barcelona, no colégio de freiras, com tia Tarsila e sua irmã Cecília. Ela estava mais velha, com uns dezesseis anos, e tirava as melhores notas, mesmo estudando na língua falada nessa região da Espanha, o catalão. Foi nesse colégio que tia Tarsila fez seu primeiro quadro, SAGRADO CORAÇÃO DE JESUS; as freiras ficaram impressionadas com o trabalho, que demorou quase um ano para ficar pronto.

Mais tarde eu soube que, quando voltou ao Brasil, aos dezenove anos, ela se casou com o primo de sua mãe, André Teixeira Pinto, e teve uma filha com ele, a Dulce. Mas seu casamento não foi feliz, e tia Tarsila se separou sete anos depois. Após a separação, ela foi estudar desenho e pintura na cidade de São Paulo.

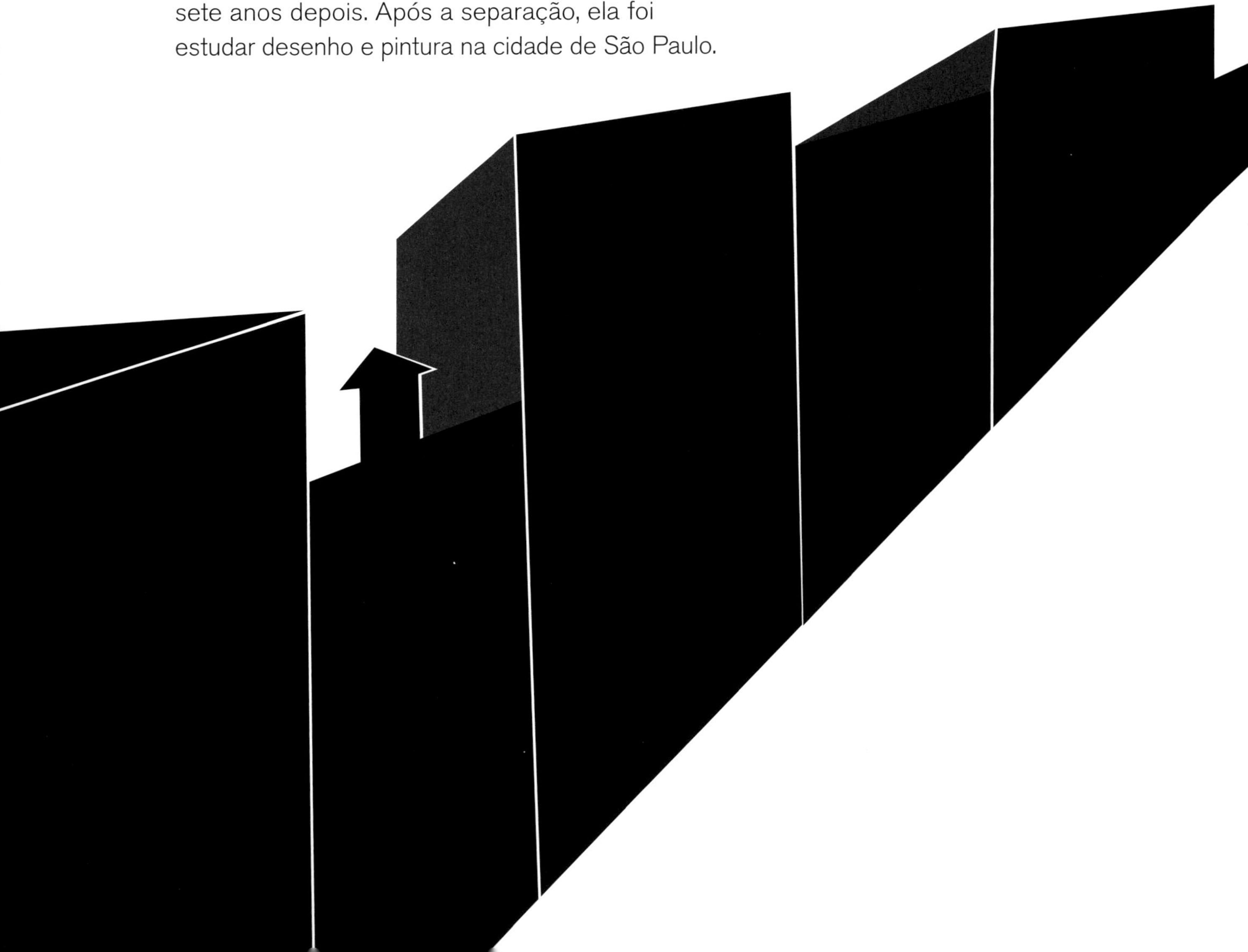

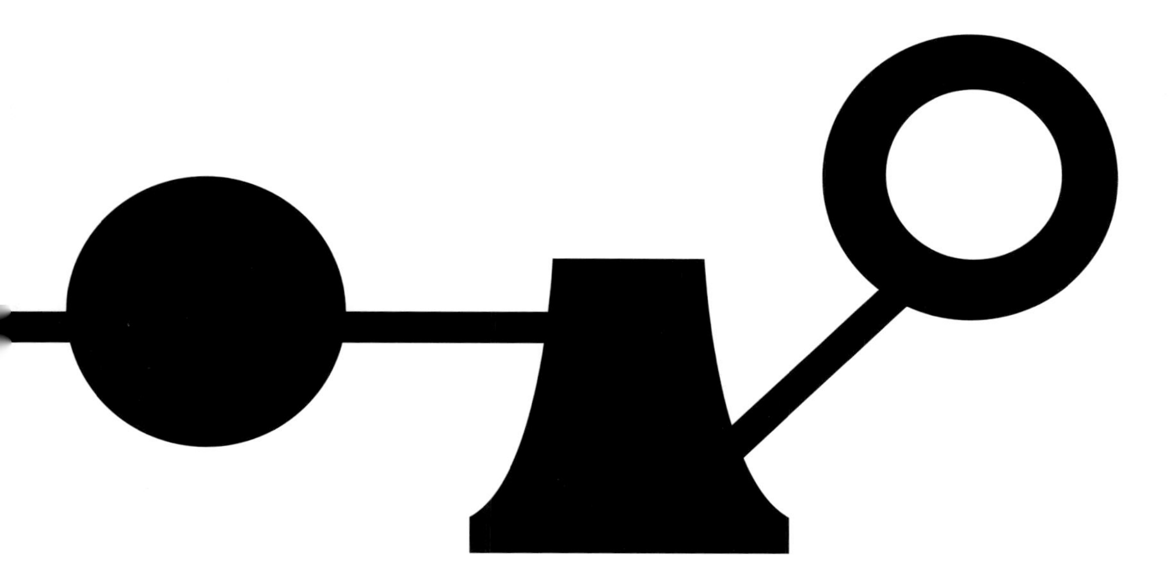

Eu passei todo o dia seguinte pensando na hora de voltar para casa. Ia fazer a lição, brincar com o meu cachorro e com os meus irmãos, e então pôr o anel, antes de dormir. E nesse dia ele me levou para Paris, no ano de 1923. Minha tia tinha trinta e sete anos e estava pintando o quadro A NEGRA.

"Venham ver que maravilha!", dizia Fernand Léger, seu professor, mostrando o quadro aos outros alunos. Ele era um mestre exigente, pois naquela época já era um pintor muito famoso e importante.

Mais tarde, já em seu ateliê, tia Tarsila estava pintando outro quadro, com uns bichos estranhos. Fiquei interessada, e, de repente, aconteceu mais uma mágica: eu entrei na tela e comecei a conversar com aquele bicho amarelo.

— Qual o seu nome? — perguntei.

— CUCA — ela respondeu. — Espere até sua tia terminar de pintar o quadro, e então poderemos brincar. Você topa?

— Que máximo, é claro que topo!

E brincamos a tarde toda, entrando nos quadros que minha tia tinha pintado. Fomos ao MAMOEIRO pular da ponte e cair no lago.

Pegamos o trem na estação da ESTRADA DE FERRO CENTRAL DO BRASIL e fomos ver as PALMEIRAS.

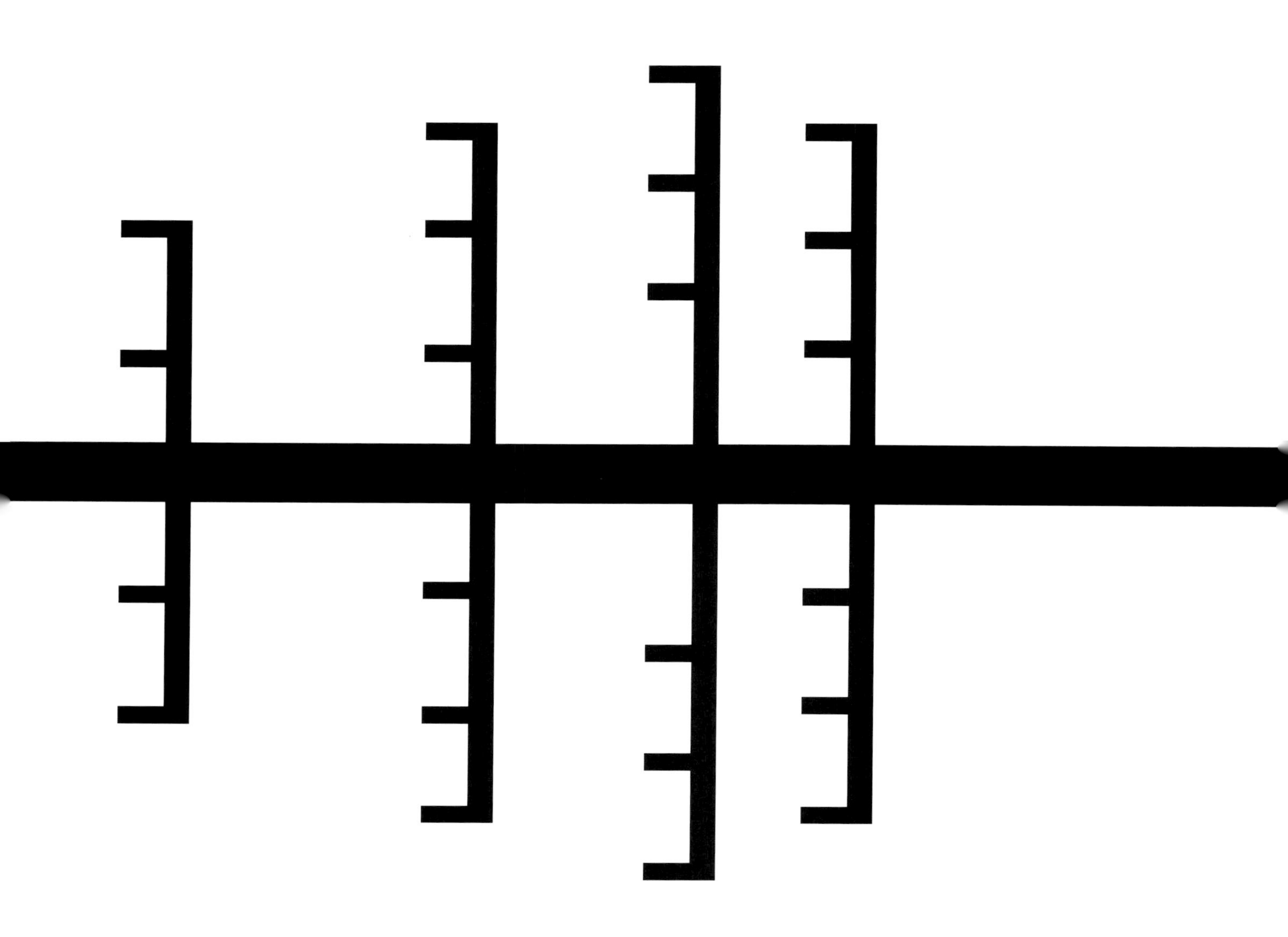

Lá perto tinha um lago, e O PESCADOR nos ajudou a pegar um peixinho com a rede, mas nós o devolvemos ao lago, pois ficamos com dó do bichinho.

Pegamos o trem novamente, agora para ir ao Rio de Janeiro, e eu fui brincar com o cachorrinho do quadro MORRO DA FAVELA.

TARSILA
1924

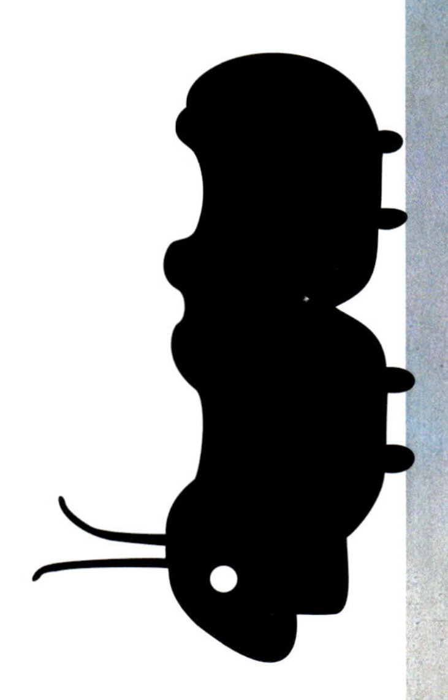

Corremos bastante até chegar a um lugar cheio de gente. Acho que eles estavam participando de uma festa. Tinham até posto uma torre ali, que parecia a torre Eiffel.

Depois fui saber que tinha ido parar em outro quadro da tia Tarsila, o CARNAVAL EM MADUREIRA.

TARSILA

Ainda passamos no quadro A FEIRA para comer frutas.

A Cuca era engraçada e sabia todos os caminhos; o sapinho não parava de falar e a minhoquinha ficava sempre para trás, reclamando. O outro bichinho não pôde vir junto porque tia Tarsila ainda não tinha acabado de pintá-lo.

Esse foi um dia inesquecível para mim, e ganhei uma grande amiga, a Cuca.

Ah, eu queria tanto poder contar à tia Tarsila que fiquei amiga da Cuca...

Quando voltamos, minha tia ainda estava pintando, dando os toques finais na árvore de coração do quadro, mas logo terminou, pois tinha um compromisso e precisava se arrumar. Eu fiquei ali para vê-la: usava um vestido preto, um manto vermelho por cima, o cabelo todo puxado para trás e uns brincos enormes, até os ombros. O namorado dela era o escritor Oswald de Andrade, e naquela noite eles foram em um jantar em homenagem ao mestre da aviação, Santos Dumont, num hotel muito chique de Paris.

— Tarsila, querida, você está linda, e este manto te faz ainda mais bela — disse Oswald quando a viu.

— Obrigada, meu amor. Este é o manto que comprei na loja do Poiret, você gostou? — respondeu tia Tarsila. Poiret era o melhor costureiro de Paris na época.

— Você está magnífica! — disse Oswald.

Quando eles chegaram, a festa parou para ver tia Tarsila entrar.

No dia seguinte ela começou a pintar outro quadro, um autorretrato: primeiro o rosto oval, com o cabelo para trás, depois aquele manto vermelho que ela havia usado na véspera. O quadro se chamou *LE MANTEAU ROUGE*.

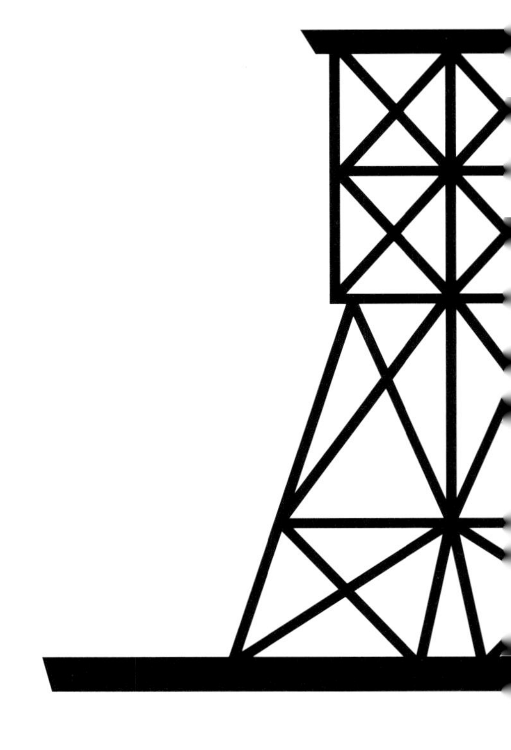

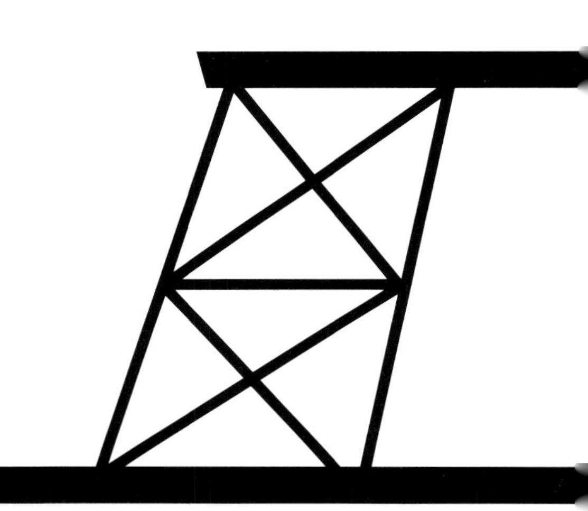

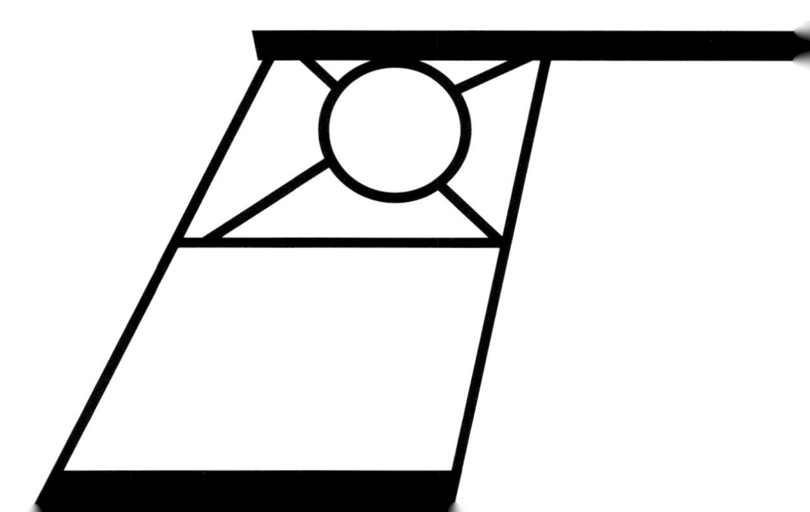

Logo depois ele a pediu em casamento. E eu acordei...

Que pena, perdi a festa, que deve ter sido ótima. Soube que o presidente da República na época, Washington Luís, e o governador de São Paulo, Júlio Prestes, foram os padrinhos. A festa foi na casa dos pais dela, e o vestido que tia Tarsila usou era da mãe de Oswald e tinha sido reformado por Poiret. O casamento aconteceu em 1926.

Depois veio o Natal, o Ano-Novo e as férias, e eu fui viajar. Achei melhor não levar o anel, mas, assim que cheguei em casa, corri para pegá-lo.

Fui parar na fazenda que a tia Tarsila havia herdado e que ficava perto daquela onde ela nasceu. Depois de se casar com Oswald, minha tia passou uma temporada lá. Naquela manhã ela foi andar a cavalo e depois foi tocar piano. Mais tarde, o almoço ficou pronto. A comida era bem caseira: arroz, feijão, frango assado, verdura e salada. Tudo da própria fazenda!

À tarde, tia Tarsila foi pintar, e fiquei vendo seu capricho ao fazer as flores do MANACÁ.

Ela estava pintando também um quadro chamado RELIGIÃO BRASILEIRA, e começou a contar que uma vez, quando voltou de navio de Paris, desceu no porto de Santos e foi até uma casa de pescadores para comprar doces caseiros. Quando entrou, viu uma mesinha com um pequeno altar, uns santinhos, um vaso com flores de papel crepom e uma toalha colorida. Tia Tarsila disse que essa imagem ficou gravada em sua memória e que por isso ela resolveu pintar aquele quadro. Foi só então que eu percebi que ela finalmente falava comigo, pois estávamos a sós no ateliê. Fui tentar responder, mas acabei acordando...

No outro dia tive que ir à escola, porque as férias tinham terminado. Passei o dia inteiro feliz por ter conseguido falar com minha tia. Quando voltei para casa, fui até o quintal ver meu cachorro. Não o encontrei e fui procurá-lo na rua. Perguntei ao guarda, ao vizinho, e ninguém sabia dele. Procurei pelas ruas, perguntei às pessoas, e nada. Fiquei desesperada e, já no fim do dia, fui procurá-lo perto do posto de gasolina. Quando cheguei lá e o chamei, ele saiu correndo do galpão e veio pular em mim. Estava tão cansada que me esqueci do anel, e só fui usá-lo na noite seguinte.

Dessa vez fui parar em 1928. Tia Tarsila estava pintando um quadro diferente, uma figura com o pé enorme e uma cabecinha, com um sol em forma de laranja e um cacto verde no fundo.

— Tia, o que é isso? — perguntei, ansiosa por confirmar que podia falar com ela.

— Hoje é o aniversário do Oswald, e eu quero dar um presente especial para ele, algo que mexa com sua imaginação — ela respondeu.

Quando Oswald viu o quadro, ficou impressionado, deu um beijo na minha tia, agradeceu o presente, e disse que era o melhor quadro que ela já tinha feito. Queriam batizá-lo, e tia Tarsila se lembrou do dicionário de tupi-guarani do pai dela, onde achou a palavra ABAPORU, que significa "o homem que come carne humana". Eu logo entrei na tela e fui brincar com ele, que era meio desajeitado para correr e, apesar da cabecinha, era inteligente. Será que ele sabia que ia se tornar muito importante?

Fiz outras viagens incríveis nos quadros dessa fase, e tia Tarsila usou muito a imaginação neles. Chamei a Cuca e o Abaporu e fomos passear no LAGO. O sapinho e a minhoquinha também vieram, e ainda aquele outro bichinho do quadro da Cuca, que na primeira vez não pôde vir. Nós dançamos com as três plantinhas. O Abaporu dançando era muito engraçado!

Continuamos andando pelo LAGO até o fim do dia e chegamos para ver o SOL POENTE, tão colorido! Ficamos ali, olhando para aqueles bichos amarelos passando...

TARSILA

O dia tinha terminado, mas a LUA apareceu para iluminar tudo.

Na noite seguinte, na minha casa, eu estava dormindo quando as três botinhas da RUA chegaram pulando. Elas me acordaram e me levaram ao encontro da Cuca, do sapo e da minhoquinha.

— Tarsilinha, acho que descobri uma coisa muito importante! — disse a Cuca.

— O quê, Cuca? — perguntei.

— Vamos até o casarão de Mombuca?

— Fazer o quê?

— Acho que desvendei o mistério do casarão.

— É mesmo, Cuca?

— Vamos até lá, Tarsilinha.

Então partimos para Mombuca. Eu estava com medo, mas com meus amigos me sentia mais confiante. Chegamos e nos escondemos num dos quartos.

A noite foi passando e, de repente, ouvimos sussurros. Eu me agarrei na Cuca, e a minhoquinha se enrolou. Quando o piano tocou sozinho, a Cuca entrou na grande sala e viu o Abaporu e a Negra. Eram eles que assustavam as pessoas. Não faziam de propósito: queriam apenas conversar e tocar piano, e para isso se encontravam de noite.

— Abaporu, então é você que assusta todo mundo aqui? — perguntei.

— Tarsilinha, que surpresa! Eu não queria assustar ninguém. Eu e a Negra só queremos nos divertir um pouco. Mas um dia a babá das crianças nos pegou farreando e se inspirou em mim para contar histórias para elas.

— Então aquela vez foram vocês que derrubaram as panelas?

— Derrubamos sem querer, e deu um trabalhão para arrumar tudo rápido, antes que chegasse alguém.

— Ainda bem que não descobriram — disse a Negra.

E foi assim que desvendamos o mistério do casarão. Voltei para o meu quarto, mas não conseguia dormir. Queria muito perguntar uma coisa para a minha tia. Então pus o anel e fui me encontrar com ela em seu apartamento em São Paulo. Ela estava mais velhinha; usava um lenço na cabeça e tinha um manto no colo. Ainda era uma mulher bonita, e continuava com o mesmo olhar carinhoso.

— Tia Tarsila, você acha que as histórias que a sua babá contava tinham alguma relação com o Abaporu? — perguntei.

— Claro que sim, Tarsilinha querida, essas histórias ficaram gravadas na minha memória. Eu pintei o Abaporu por inspiração, mas depois percebi que ele tinha muita relação com essas histórias da minha infância, com o medo de assombrações, com o medo do casarão...

— Tia Tarsila, eu adoro todos os bichos que você inventou.

— Obrigada, filhinha.

Ela sorriu e me deu um beijo na testa.

Eu acordei muito, muito feliz.

Depois de toda essa história com tia Tarsila, fui descobrindo que tinha muitas afinidades com ela. Também adoro cachorros, gatos, cavalos, e amo a natureza. Gosto de brincar e de subir em árvores. E morro de medo daquele casarão. Só não sei pintar como ela...

Tia Tarsila sempre foi muito querida pelos meus pais, por isso eles me deram seu nome. Meu pai era advogado dela, e tia Tarsila só confiava em minha mãe para levá-la de carro aos seus compromissos. Eu adorava visitá-la, e ela gostava de saber das minhas travessuras. Nós sempre tivemos uma relação especial, e foi por isso que ela me deixou de presente aquele anel... o meu anel encantado.

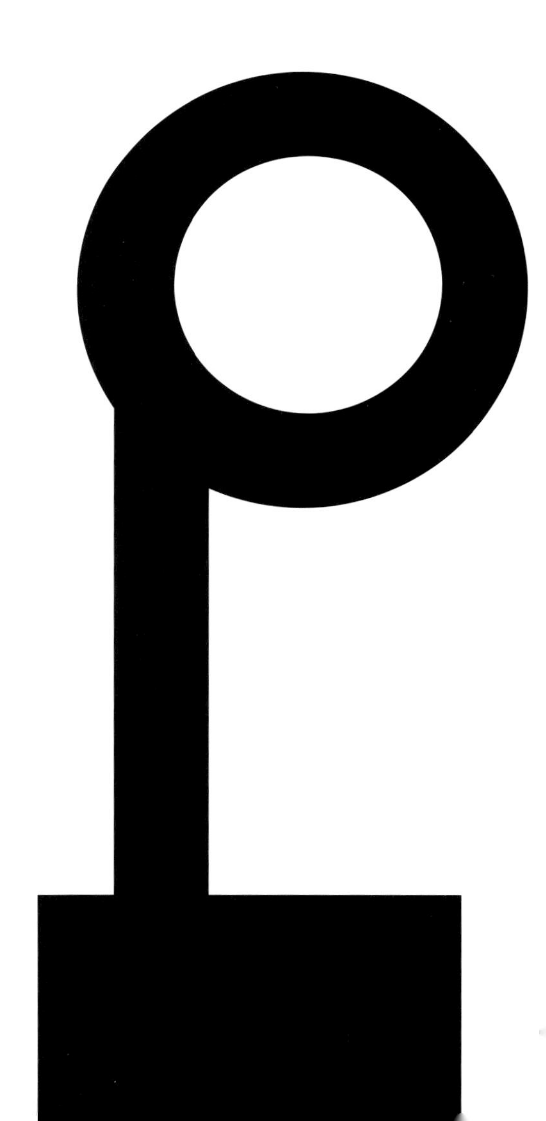

CRONOLOGIA

INFÂNCIA

A pintora Tarsila do Amaral nasce em 1º de setembro de 1886 em Capivari, interior do estado de São Paulo.

Os pais dela — José Estanislau do Amaral e Lydia Dias de Aguiar do Amaral — eram muito ricos. José Estanislau, um grande fazendeiro de café, herdara várias fazendas do pai.

Tarsila e seus irmãos — Osvaldo, Cecília, Dulce (que morreu bem jovem), Luís Estanislau, Milton e José — passam a infância nas fazendas São Bernardo e Sertão. É nelas que Tarsila aprende a ler e a escrever com uma professora belga chamada Marie.

ADOLESCÊNCIA

Em 1898, aos doze anos, Tarsila estuda e faz a primeira comunhão num colégio de freiras no bairro de Santana, na cidade de São Paulo. Em seguida, é matriculada em outro colégio católico da capital, o Sion.

Aos dezesseis anos, inicia os estudos no Sacré-Coeur de Jésus, também católico, em Barcelona, na Espanha. Lá, realiza sua primeira experiência com pintura, o quadro *Sagrado Coração de Jesus*.

VIDA ADULTA

1904 Retorna ao Brasil e casa-se com o primo de sua mãe, André Teixeira Pinto.

1906 Passa a viver com o marido na fazenda São Bernardo e depois na fazenda Sertão, dos pais dela. Nasce sua filha, Dulce.

1913 Separa-se de André e, em seguida, muda-se para a cidade de São Paulo.

1916 Passa a trabalhar no ateliê do escultor sueco Willian Zadig.

1917 Estuda desenho e pintura com Pedro Alexandrino. Constrói seu próprio ateliê, na rua Vitória, na capital.

1919 Estuda pintura por dois meses com o pintor e professor alemão Georg Elpons.

1920 Matricula a filha num colégio interno na Inglaterra e vai para Paris, onde intensifica seus estudos de pintura.

Cursa a Académie Julien, muito frequentada pelos artistas de sua geração.
Tem aulas particulares com o pintor Emile Renard.

1922 Expõe pela primeira vez no Salon Officiel des Artistes Français, em Paris. A tela chama-se *Portrait*.
Retorna ao Brasil alguns meses depois da Semana de Arte Moderna, que ocorreu em fevereiro no Teatro Municipal de São Paulo e contou com exposições, concertos, debates e conferências sobre novas maneiras de fazer arte no Brasil, conhecidas pelo nome de Modernismo.
Assim que chega ao país, entra em contato com os artistas e intelectuais que organizaram a Semana. Com alguns deles — Anita Malfatti, Menotti del Picchia, Mário de Andrade e Oswald de Andrade — forma um grupo de amigos chamado Grupo dos Cinco, que agita a cidade de São Paulo com festas, jantares, conferências e exposições.
Começa a namorar o poeta e escritor Oswald de Andrade.

1923 Retorna à Europa em companhia de Oswald. Em Paris, os dois conhecem o poeta franco-suíço Blaise Cendrars, que os apresenta a diversos artistas e intelectuais atuantes na cidade.
Em março, passa a morar em Paris e a trabalhar no ateliê do artista francês André Lhote, onde aprofunda seu contato com o cubismo, um movimento artístico que explorou principalmente a geometria e a perspectiva dos objetos representados na tela.
Estuda com o pintor francês Fernand Léger, em cujo ateliê pinta as telas *Caipirinha* e *A negra*.
Sobre *A negra*, há alguns anos, uma fotografia foi encontrada em um dos álbuns de recordação de Tarsila. Nela, havia a imagem de uma mulher negra que parecia ser uma pessoa querida, próxima da família, e, talvez, tenha sido a inspiração para o quadro.
Em 1886, quando Tarsila do Amaral nasceu, a abolição da escravatura ainda não tinha acontecido. Seu pai era um fazendeiro e dono de escravizados. Na realidade vivenciada pela artista na infância, no período pós-abolição, filhos e filhas de pessoas que foram escravizadas também trabalhavam nas propriedades de sua família. Isso nos revela uma característica interessante de Tarsila enquanto artista: ela estava

à frente de seu tempo, pois buscou, em sua obra, pensar o Brasil e representar suas identidades de maneira a valorizá-las. A intenção do movimento modernista era essa, mas, obviamente, não há como negar seu caráter elitizado. Por isso, é fundamental reconhecermos as diferentes interpretações em relação a essa obra e refletirmos sobre a complexidade das expressões artísticas de maneira geral.

1924 Volta ao Brasil.
Com o grupo modernista, leva ao Rio de Janeiro e a Minas Gerais o poeta Blaise Cendrars, que viera a São Paulo convidado por Paulo Prado, organizador da Semana de 22. Nessas viagens ela resgata em suas telas imagens dos interiores do país, as quais tanto marcaram sua infância. Oswald de Andrade dá o nome de Movimento Pau-Brasil a essa fase da sua pintura.
Em 18 de março, Oswald lança o "Manifesto Pau-Brasil" no jornal *Correio da Manhã*. No ano seguinte, ele publicará o livro de poemas *Pau-Brasil*. No manifesto e no livro, o autor propõe uma literatura inteiramente ligada à realidade brasileira.
Em julho, por conta da Revolta Paulista, Tarsila refugia-se com Oswald na fazenda Sertão, do pai dela. Comandado pelo general Isidoro Dias Lopes, esse levante contra o governo central da República foi um dos maiores conflitos armados que já ocorreram na cidade de São Paulo.
Volta a Paris, de onde troca uma série de cartas de amor com Oswald.

1925 Retorna ao Brasil.
Ilustra *Pau-Brasil*, livro de Oswald de Andrade.

1926 Viaja com Oswald para o Oriente Médio.
Realiza sua primeira exposição individual na Galerie Percier, em Paris, onde apresenta dezessete telas. A exposição tem grande repercussão na imprensa parisiense.
Já no Brasil, casa-se com Oswald de Andrade. O então presidente da República, Washington Luís, é um dos padrinhos do casamento.

1928 Pinta a tela *Abaporu* para com ela presentear o marido em seu aniversário. Esse quadro dá início ao Movimento Antropofágico, bem como à fase antropofágica da pintura de Tarsila.
O Movimento Antropofágico foi idealizado por Oswald de Andrade

nesse ano, e teve como marco o Manifesto Antropofágico, resultado de uma reflexão sobre o Brasil e a cultura brasileira de então. O autor convidava os artistas e intelectuais de sua geração a reagir contra a simples imitação dos padrões europeus e norte-americanos. Em vez de imitar, a intenção era "devorar", no sentido figurado, os colonizadores, dando um novo significado tanto à cultura europeia e norte-americana como à africana e à dos indígenas brasileiros. Tarsila e Oswald estavam engajados na busca por uma identidade cultural própria para o Brasil.
Volta a Paris e faz sua segunda exposição individual na Galerie Percier.

1929 Faz sua primeira exposição individual no Brasil, nas cidades do Rio de Janeiro e de São Paulo, na qual expõe 35 telas realizadas entre 1923 e 1929.
A crise provocada pela queda da Bolsa de Nova York afeta a economia de todo o mundo. O pai de Tarsila perde muito dinheiro, e a fazenda dela, Sertão, é hipotecada. A partir daí, a pintora e sua família enfrentam grandes dificuldades financeiras.
Separa-se de Oswald de Andrade.

1930 É nomeada diretora da Pinacoteca do Estado de São Paulo, cargo que perde poucos meses depois, com a queda do então presidente da República, Washington Luís, e do governador de São Paulo, Júlio Prestes.

1931 Conhece Osório César, médico e intelectual comunista, e com ele embarca para a Europa. Ambos visitam a União Soviética, e, na ocasião, as obras dela são expostas no Museu de Arte Moderna Ocidental de Moscou. O museu compra uma de suas telas, *O pescador*, e, com o dinheiro da venda, o casal viaja pelo país.

1932 Ocorre a Revolução Constitucionalista em São Paulo, contra o governo de Getúlio Vargas. Tarsila do Amaral é presa por um mês no presídio Paraíso, em São Paulo, em razão de sua viagem à União Soviética e de suas posições políticas de esquerda.

1933 Pinta as telas *Operários* e *Segunda classe*, e inicia uma fase mais voltada para temas e questões sociais.
Viaja a Montevidéu com Osório César para uma Reunião do Comitê Continental Antiguerreiro.

Conhece o escritor Luís Martins em um jantar em homenagem a Le Corbusier no Rio de Janeiro e começam a namorar.
Torna-se integrante da Sociedade Pró-Arte Moderna (SPAM), instituição criada por Lasar Segall que tinha como objetivo promover e incentivar as produções artísticas modernas do país.

1935 Muda-se temporariamente para a cidade do Rio de Janeiro.
Passa a escrever uma série de artigos para o jornal *Diário de São Paulo* e, eventualmente, para *O Jornal* (do Rio de Janeiro). Sua colaboração se estende até 1956.

1937 Consegue recuperar a fazenda Sertão.
Expõe suas obras no I Salão de Maio, em São Paulo, cujo propósito era divulgar as obras dos artistas modernistas.

1938 Passa a morar entre a fazenda, em Jundiaí, e o Rio de Janeiro.
Expõe no II Salão de Maio.

1939 Muda-se para São Paulo com Luís Martins.
Expõe no III Salão de Maio e na Exposição Latino-Americana de Artes Plásticas do Riverside Museum, em Nova York.

1944 Realiza caravana para Belo Horizonte e Ouro Preto em companhia de artistas e intelectuais atuantes em São Paulo, entre eles Alfredo Volpi, Mário Shenberg e Clóvis Graciano. Na ocasião, participa de exposição de arte moderna em Belo Horizonte.

1945 Faz ilustrações para o livro *Poesias reunidas*, de Oswald de Andrade, a pedido do autor.

1947 Produz uma série de ilustrações, em especial retratos de grandes personalidades, para o jornal *O Estado de S. Paulo*.

1950 Ocorre a primeira grande retrospectiva de sua obra no Museu de Arte Moderna, em São Paulo.
Pinta a tela *Fazenda*, em que retoma a temática do Pau-Brasil.

1951 Participa da I Bienal de São Paulo e é premiada pela tela *EFCB*.
Separa-se de Luís Martins.

1952 Ganha o prêmio de Artes Plásticas da municipalidade de São Paulo, organizado pelo *Jornal de Letras*.

1954 Compõe o painel *Procissão do Santíssimo* para a exposição sobre o IV Centenário da Cidade de São Paulo, no Pavilhão de História do parque do Ibirapuera.

1956 Compõe o painel *Batizado de Macunaíma*, em homenagem à obra do escritor Mário de Andrade, para a Livraria Martins Editora.

1961 Vende sua fazenda e passa a morar definitivamente em São Paulo.

1963 Tem uma sala só para as suas obras na VII Bienal de São Paulo.

1964 Realiza participação especial na XXXII Bienal de Veneza.

1966 Falece sua filha, Dulce.

1969 Tem uma grande exposição retrospectiva — Tarsila, 50 Anos de Pintura — organizada por Aracy Amaral no Museu de Arte Moderna do Rio de Janeiro e no Museu de Arte Contemporânea da Universidade de São Paulo.

1970 Ganha o prêmio Golfinho de Ouro, na época concedido pelo Museu da Imagem e do Som do Rio de Janeiro, por sua atuação como artista plástica.

1973 Falece em São Paulo no dia 17 de janeiro.

BIBLIOGRAFIA

AMARAL, Aracy. *Tarsila*: sua obra e seu tempo. São Paulo: Perspectiva, 1975.

CANDIDO, Antonio. *Literatura e sociedade*. São Paulo: T. A. Queiroz/Publifolha, 2000.

ROSA, Nereide S. Santa. *Tarsila do Amaral*. São Paulo: Callis, 2006.

Site
Itaú Cultural <www.itaucultural.com.br>.

CRÉDITOS DAS IMAGENS

p. 17
SAGRADO CORAÇÃO DE JESUS
c. 1904 | Óleo sobre tela | 101,8x76 cm
Coleção particular
Reprodução: Romulo Fialdini

p. 18
A NEGRA
1923 | Óleo sobre tela | 100x81,3 cm
Coleção Museu de Arte Contemporânea da Universidade de São Paulo
Reprodução: Romulo Fialdini

p. 22-23
CUCA
1924 | Óleo sobre tela | 73x100 cm
Photographie © Musée de Grenoble

p. 24-25
O MAMOEIRO
1925 | Óleo sobre tela | 65x70 cm
Coleção Mário de Andrade. Coleção de Artes Visuais do Instituto de Estudos Brasileiros – USP
Reprodução: Romulo Fialdini

p. 26
ESTRADA DE FERRO CENTRAL DO BRASIL
1924 | Óleo sobre tela | 142x126,8 cm
Coleção Museu de Arte Contemporânea da Universidade de São Paulo
Reprodução: Romulo Fialdini

p. 27
PALMEIRAS
1925 | Óleo sobre tela | 87x74,5 cm
Coleção particular
Reprodução: Romulo Fialdini

p. 29
O PESCADOR
c. 1925 | Óleo sobre tela | 66x75 cm
The State Hermitage Museum, São Petersburgo
Reprodução: © The State Hermitage Museum/ Vladimir Terebenin, Leonard Kheifets, Yuri Molodkovets

p. 30-31
MORRO DA FAVELA
1924 | Óleo sobre tela | 64,5x76 cm
Coleção particular
Reprodução: Romulo Fialdini

p. 32-33
CARNAVAL EM MADUREIRA
1924 | Óleo sobre tela | 76x63 cm
Coleção Fundação José e Paulina Nemirovsky
Reprodução: Romulo Fialdini

p. 34-35
A FEIRA I
1924 | Óleo sobre tela | 60,8x73,1 cm
Coleção particular
Reprodução: Romulo Fialdini

p. 37
AUTORRETRATO OU *LE MANTEAU ROUGE*
1923 | Óleo sobre tela | 73x60,5 cm
Coleção Museu Nacional de Belas Artes/ IBRAM/ MinC. Foto Jaime Acioli

p. 39
MANACÁ
1927 | Óleo sobre tela | 76x63,5 cm
Coleção particular
Reprodução: Romulo Fialdini

p. 40
RELIGIÃO BRASILEIRA I
1927 | Óleo sobre tela | 63x76 cm
Acervo Artístico-Cultural dos Palácios do Governo do Estado de São Paulo
Reprodução: Romulo Fialdini

p. 42-43
ABAPORU
1928 | Óleo sobre tela | 85x73 cm
Museo de Arte Latinoamericano de Buenos Aires — Fundación Constantini, Buenos Aires
Reprodução: Romulo Fialdini

p. 44
O LAGO
1928 | Óleo sobre tela | 75,5x93 cm
Coleção particular
Reprodução: Romulo Fialdini

p. 46-47
SOL POENTE
1929 | Óleo sobre tela | 54x65 cm
Coleção particular
Reprodução: Romulo Fialdini

p. 48-49
A LUA
1928 | Óleo sobre tela | 110x110 cm
Coleção particular
Reprodução: Romulo Fialdini

p. 51
A RUA
1929 | Óleo sobre tela | 81x54 cm
Coleção particular
Reprodução: Romulo Fialdini

p. 56 (abaixo à esquerda)
NATUREZA-MORTA
1918 | Óleo sobre tela | 53x63 cm
Coleção particular
Reprodução: Romulo Fialdini

p. 56 (abaixo à direita)
AUTORRETRATO COM LENÇO VERMELHO
1921 | Óleo sobre tela | 54,5x43,6 cm
Coleção particular
Reprodução: Romulo Fialdini

p. 56 (a primeira imagem de cima para baixo)
RUA DE PARIS
1920 | Óleo sobre placa de madeira aglomerada | 24x19 cm
Coleção particular
Reprodução: Romulo Fialdini

p. 56 (a segunda imagem de cima para baixo)
PÁTIO COM CORAÇÃO DE JESUS (ILHA DE WIGHT)
1921 | Óleo sobre tela | 54x43,5 cm
Coleção particular
Reprodução: Romulo Fialdini

p. 57 (a primeira imagem de cima para baixo)
RETRATO DE MÁRIO DE ANDRADE
1922 | Óleo sobre tela | 53x44 cm
Acervo Artístico-Cultural dos Palácios do Governo do Estado de São Paulo
Reprodução: Romulo Fialdini

p. 57 (imagem abaixo à esquerda)
RETRATO DE OSWALD DE ANDRADE
1922 | Óleo sobre tela | 51x42 cm
Coleção particular
Reprodução: Romulo Fialdini

p. 57 (imagem abaixo à esquerda)
CAIPIRINHA
1923 | Óleo sobre tela | 60x81 cm
Coleção particular
Reprodução: Romulo Fialdini

p. 58 (imagem acima)
A BONECA
1928 | Óleo sobre tela | 60x45 cm
Coleção particular
Reprodução: Romulo Fialdini

p. 58 (imagem à esquerda abaixo)
SÃO PAULO (GAZO)
1924 | Óleo sobre tela | 50x60 cm
Coleção particular
Reprodução: Romulo Fialdini

p. 58 (imagem ao centro abaixo)
URUTU
1928 | Óleo sobre tela | 60x72 cm
Coleção Gilberto Chateaubriand MAM RJ
Reprodução: Romulo Fialdini

p. 58 (imagem à direita abaixo)
FLORESTA
1929 | Óleo sobre tela | 63,9x76,2 cm
Coleção Museu de Arte Contemporânea da Universidade de São Paulo
Reprodução: Romulo Fialdini

p. 59 (imagem à esquerda acima)
SAGRADO CORAÇÃO DE JESUS II
1927 | Óleo sobre tela | 84x63 cm
Coleção particular
Reprodução: Romulo Fialdini

p. 59 (imagem abaixo à esquerda)
OPERÁRIOS
1933 | Óleo sobre tela | 150x205 cm
Acervo Artístico-Cultural dos Palácios do Governo do Estado de São Paulo
Reprodução: Romulo Fialdini

p. 59 (imagem abaixo à direita)
SEGUNDA CLASSE
1933 | Óleo sobre tela | 110x151 cm
Coleção particular
Reprodução: Romulo Fialdini

p. 60 (imagem abaixo à esquerda)
BATIZADO DE MACUNAÍMA
1956 | Óleo sobre tela | 132,5x250 cm
Coleção particular
Reprodução: Romulo Fialdini

p. 60 (imagem abaixo à direita)
PROCISSÃO
1954 | Óleo sobre placa de madeira compensada | 253x745 cm
Coleção de Arte da Cidade/ Pinacoteca Municipal/ CCSP/ SMC/ PMSP, São Paulo

p. 62
AUTORRETRATO I
1924 | Óleo sobre cartão sobre placa aglomerada | 38x32,5 cm
Acervo Artístico-Cultural dos Palácios do Governo do Estado de São Paulo

SOBRE A AUTORA

Nasci em São Paulo, em 1964, e tive a honra de receber o nome da minha tia-avó. Como tenho o mesmo sobrenome também, ficou tudo igualzinho: Tarsila do Amaral. Meu pai e minha mãe que escolheram, pois queriam homenageá-la. Meu pai, Guilherme, era o advogado dela e o sobrinho querido. Eu me lembro muito da tia Tarsila, ela me adorava, queria sempre saber das minhas travessuras de criança, me dava um beijo carinhoso e conversava comigo. Depois eu ficava perambulando pela casa dela e olhando os quadros. Tive o privilégio de ver muitas das grandes obras da Tarsila penduradas na casa dela. Eu me lembro do quadro *A rua*, que ficava no corredor e que tinha sido feito a partir de um sonho da minha tia. Ela me deixou de presente um anel que nunca tirou do dedo desde os dezoito anos. É o meu anel encantado.

Eu estudei Direito na PUC de São Paulo, mas sempre gostei de equitação, uma paixão que herdei da minha tia e do meu avô, que andavam a cavalo nas fazendas da família, assim como eu, que também passei a infância na "fazenda do casarão". Sou professora de hipismo e amazona há muito tempo, mas, em 2004, muitos anos depois de a tia Tarsila morrer, eu resolvi escrever um livro sobre a vida dela — que se chamou *Tarsila por Tarsila* — e passei a cuidar também dos seus direitos autorais, atividade exercida até então pelo meu pai.

Fiz o curso de Especialização em Museus no Museu de Arte Contemporânea (MAC), na Universidade de São Paulo no ano seguinte e, depois disso, fui curadora de diversas exposições da tia Tarsila.

Em 2007, escrevi um livro infantil sobre cavalos, *As aventuras de Aninha e Pampa*, em parceria com Patrícia Secco, com quem escrevi também uma história sobre a infância da minha tia e uma peça de teatro, chamada *O Sol nasceu para todos*, que foi encenada em 2009.

A tia Tarsila sempre esteve presente na minha vida. Sei que ela sempre vai estar, como está aqui comigo e com vocês neste livro.